Oscar
**BRONNER**

# Oscar
# BRONNER

Herausgegeben von
Ingried Brugger und Florian Steininger

Mit Beiträgen von
Oscar Bronner und Florian Steininger

Kunstforum Wien

# VORWORT

Ingried Brugger

In seinem Text zur vorliegenden Publikation beschreibt ihn Oscar Bronner selbst: den ständigen Zwiespalt, der seine Biografie begleitet hat, der ihm wiederholt Entscheidungen auferlegte, die sein Leben und sein Schaffen nachhaltig beeinflussten. Was verbindet den Medienmacher mit dem Künstler? Wie gehen sie miteinander um, privat ebenso wie in der Öffentlichkeit? Was zählt? Das gewichtige Wort für ein breites Publikum oder das im Atelier Geschaffene? Es sind dies Fragen, die schon lange nicht mehr eindeutig zu klären sind, nicht für den Beobachter von außen, und wahrscheinlich auch für Oscar Bronner nicht. Zu dezidiert und gesellschaftlich relevant waren Bronners Unternehmungen, zu radikal schließlich auch der Entschluss, die operative Tätigkeit beim *Standard* aufzugeben und das Hauptaugenmerk einmal mehr auf die Malerei zu legen.

Oscar Bronner nähert man sich vielleicht am besten mit dem Hinweis auf die »Konsequenz«, mit der er sich den grundsätzlich so verschiedenen Herausforderungen gestellt hat. Und es ist dann auch »Konsequenz«, die seine Malerei wesentlich regiert: die Entscheidung, sich an Problemen abzuarbeiten, sie aufzuspüren, zu verfolgen und zu einer Lösung zu führen.

Betritt man Bronners Atelier, in dem der Künstler für den Besucher die Bilder an die Wand gereiht hat, dann ist der erste Eindruck der einer gewaltigen Installation, eines Beatmens von Welt mittels Malerei. Im Zusammenspiel, in dem die Bilder ineinandergreifen, sich gegenseitig bedingen und hinterfragen, entwickeln Bronners Arbeiten ihren vollen Klang. Ich habe das selten in dieser Intensität erlebt: Es ist, als wären die Bilder füreinander geboren. Dem liegt ein durchgehender Stilentwurf zugrunde, auch ein Denken in Serien und das Beharren auf einer künstlerischen Problemstellung, die jedes Bild – für sich genommen – mannigfaltig umspielt und es somit zu einem notwendigen Teil eines lebendigen Ganzen werden lässt. Überhaupt ist »Lebendigkeit« ein Thema dieser Malerei – oder die Frage, wie der Künstler die Komplexität der Welt in Malerei fassen kann, noch dazu in eine Malerei, die mit Erzählung wenig zu tun hat. Genau genommen gibt es nicht viele Bilder, die man im strikten Sinn als gegenständlich bezeichnen kann. Gerade im aktuellen Schaffen sind die flüchtigen Reminiszenzen an landschaftliche, florale oder kosmische Motive nur mehr Anlassfall für eine Malerei, die sich selbst genügt, die Leben aus sich selbst heraus zu entwickeln vermag.

Oscar Bronner malt mit den Fingern, stellt also den direktesten Zugriff auf die Farbe sicher. Das prozessuale Element ist ihm wichtig. Der Expressionismus, den man angesichts eines solchen Schaffensprozesses erwartete, wird jedoch zurückgedrängt. Die Lebendigkeit erfüllt sich schließlich als umfassende Harmonie von Farbe, Formen und Schattierungen. Zuletzt geht es Oscar Bronner in seiner Arbeit um ein Gleichgewicht, das poetisch sein Licht zurückwirft auf seinen Schöpfer. Auch dadurch haftet den Arbeiten von Oscar Bronner etwas Prinzipielles, ja Transzendentales an.

Ich bedanke mich bei allen, die diese Ausstellung ermöglicht haben, vor allem bei Florian Steininger, der das Projekt als Kurator begleitet hat.

Die Ausstellung ist in enger Zusammenarbeit mit dem Künstler entstanden. Und sie ist in weiten Teilen förmlich »in den tresor hineingemalt worden«. Auch dafür gilt Oscar Bronner mein innigster Dank.

# Über das Entstehen von Bildern, Zeitungen und Schubladen

Oscar Bronner

Eine briefliche Anfrage einer österreichischen Zeitung vor mehr als 30 Jahren: Man plane eine Artikelserie über Aussteiger und wolle mich als eines der bekannten Beispiele, nämlich als Gründer von *trend* und *profil,* der jetzt als Maler in New York lebt, dazu interviewen. Ich antwortete, dass ich in diese Serie nicht passe, da ich mich nicht als Verleger verstehe, der ausgestiegen ist, sondern als Maler, der nur für einige Zeit in die Zeitungswelt eingestiegen war.

So flapsig könnte ich heute wohl nicht mehr antworten. Daher hier der Versuch einer Selbstbeschreibung: In welche Schublade gehöre ich? Bin ich ein erfolgreicher Zeitungsverleger, der ein Hobby intensiv auslebt, in meinem Fall das Malen? Oder bin ich ein erfolgloser Maler, der als Brotberuf gelegentlich Zeitungen gründet? Es gibt unter den Künstlern, die auch mit anderen Tätigkeiten erfolgreich waren, große Vorbilder wie zum Beispiel Peter Paul Rubens, der neben seiner fulminanten Malerkarriere seinem Land wertvolle Dienste als Diplomat leistete. Oder den Schweizer Dichter und Maler Salomon Gessner, der nebenbei einen Verlag betrieb und 1780 die *Zürcher Zeitung* gründete, aus der in Folge die *Neue Zürcher Zeitung* wurde.

Die für Heranwachsende lästige Frage, was sie einmal werden wollen, war für mich einfach zu beantworten: Maler, Schriftsteller und Regisseur. Mit einem Vater, der als Autodidakt unter anderem Schriftsteller, Komponist und Theatergründer geworden war, kam die Idee eines Studiums gar nicht erst auf. »Learning by Doing« war die Devise. Also versuchte ich mich nach der Matura als Regieassistent, dann begann ich mit Journalismus, um die Angst vor dem weißen Papier zu verlieren – und um meinen Lebensunterhalt zu verdienen.

In meiner Freizeit schrieb ich Dramatisches, auch etwas Prosa, und malte. Niemand weiß, wie viel Talent als Schriftsteller in mir tatsächlich vorhanden war, nach einiger Zeit jedoch hatte ich das Gefühl, dass ich es durch die journalistische Arbeit profanisiert hatte. Ich vernichtete die schriftstellerischen Versuche, gleichzeitig

verlor ich das besondere Interesse am Theater. Also konzentrierte ich mich aufs Malen. Mein Freund und Schachpartner aus dem Café Hawelka, Kurt Moldovan, half mir mit Tipps und Kritik.

Der Journalismus hatte zwar mittlerweile seine ursprüngliche Funktion als Vorbereitung für die Schriftstellerei verloren, aber ich konnte erste journalistische Erfolge verzeichnen. Gleichzeitig stieg die Frustration über die triste mediale Situation, in der man damals als Journalist arbeiten musste. Also beschloss ich, ein Nachrichtenmagazin zu gründen. Um zu Geld zu kommen und Know-how zu erwerben, gründete ich eine Werbeagentur, entdeckte dadurch eine verlegerische Marktlücke, gründete mit 26 Jahren das Wirtschaftsmagazin *trend* und schuf so die Infrastruktur, und damit die Startrampe, für *profil.*

In dieser Zeit kam ich nicht viel zum Malen, »Learning by Doing« hat sich von der angedachten künstlerischen Tätigkeit in andere Richtungen verlagert, da ich als Eigentümer, Geschäftsführer und Herausgeber fungierte, ohne eine Ahnung von Betriebswirtschaft, Management oder Magazinjournalismus zu haben. Die Profis der Großverlage ließen mich anfangs gewähren, weil sie meinem Projekt keine Chancen gaben. Als es nach Erfolg aussah, versuchten sie, mich mit Konkurrenzmagazinen aus dem Markt zu drängen. Da das nicht gleich gelang, änderten sie die Strategie: Ich bekam ein Angebot, das ich nicht ablehnen konnte. Ich verkaufte die Mehrheit des Verlags und übergab die restlichen Anteile an die Mitarbeiter.

Nach dieser für mich ziemlich turbulenten Zeit konnte ich endlich wieder reflektieren. Ich war zufällig Journalist geworden, woraus sich mit viel Glück eine Karriere entwickelte. Um diese wurde ich zwar beneidet und ich war durchaus stolz auf das Erreichte, gleichzeitig spürte ich eine gewisse Frustration, da ich meine künstlerischen Ambitionen nicht ausgelebt hatte.

Ich war 31 Jahre alt und beschloss einen Neuanfang. Erstmals verfügte ich über Geld und erfüllte mir damit den Wunsch, die künstlerische Seite in mir auszuloten. Zu der Zeit beschäftigte ich mich primär mit Bildhauerei. Ich zeigte Fritz Wotruba meine Arbeiten und fragte, ob ich bei ihm studieren dürfe. Er antwortete, dass die Akademie für die jungen Studenten primär als Arbeitsplatz diene. Wenn ich den nicht brauche, möge ich in meinem Atelier arbeiten und er wäre bereit, sich die Werke anzusehen und mit mir darüber zu diskutieren. Ich nahm das Angebot dankbar an, leider kam es wegen seines frühen Todes nur einmal zu so einem Gespräch. Dieses und vor allem auch die vielen Diskussionen mit meinem Freund Karl Prantl machten mir klar, dass ich nicht deren sinnliche Beziehung zu Stein hatte. Ich wechselte zu Bronze, schließlich fand ich in Holz mein Material.

Nach mehr als vier Jahren Arbeit in der Dreidimensionalität kam ich – mittlerweile in New York lebend – wieder zur Malerei zurück. Sie hatte sich unter dem Einfluss des Bildhauerns grundlegend geändert: Stand früher der Inhalt im Vordergrund – als hätte ich meine literarischen Ambitionen ins Bild gezwungen –, ging es nun um die Materialität der Farbe. Ich verwendete die Leinwand als Palette, auf der ich die Farbe vermischte, anfangs mit dem Pinsel, dann mit den Fingern – bis heute. Es begann mit geometrischen Bildern, dann konzentrierte ich mich auf klassische Sujets wie Blumen, Landschaften, Porträts und Akte, um heute wieder gegenstandslos zu malen.

Ab 1980 zeigte ich meine Bilder in Einzelausstellungen und Ausstellungbeteiligungen, unter anderem in New York, Washington, Paris, Mailand, Düsseldorf und Wien. Ich war kein Sensationserfolg, dafür fehlt mir auch das Talent zur Selbstinszenierung. Aber ich war mit meiner bescheidenen Karriere zufrieden, immerhin konnte ich vom Verkauf der Bilder leben.

Nach 13 Jahren in New York registrierte ich, dass die sechs Monate, die ich ursprünglich für diesen Aufenthalt vorgesehen hatte, abgelaufen waren, und peilte meine Heimkehr nach Wien an. Aber ich hatte 13 Jahre nicht nur die Stadt New York genossen, sondern

auch die tägliche Lektüre der *New York Times*. Und die Aussicht, diese gegen die damals vorhandenen österreichischen Zeitungen einzutauschen, schreckte mich ab. Anfangs nur spielerisch überlegte ich, ob man die Situation nicht ändern könnte und nach einigen Gesprächen und Analysen kam ich zum Schluss, dass es möglich wäre, eine ordentliche Zeitung zu gründen. In mir entwickelte sich ein Konflikt: Einerseits wollte ich nicht mit dem Malen aufhören, andererseits merkte ich, dass die Zeitung ohne mich nicht entstehen würde. Fritz Molden, dem ich nach einer durchzechten Nacht, in der wir heftig über Kurt Waldheim gestritten hatten, anvertraute, dass ich Platz für eine liberale Tageszeitung sehe, bestand darauf, dass es dann wohl meine Pflicht sei, die Gründung zumindest zu versuchen. Er sei bereit, mir dabei zu helfen.

Tatsächlich entwickelte ich eine für mich bis dahin unbekannte Stimmung: Wenn es nur am mir liegt, ob sich in Österreich die Zeitungslandschaft zum Besseren verändert, darf ich mich dann so einer Aufgabe entziehen? Ich fragte mich, was ich mir eines Tages mehr vorwerfen würde: Es nicht einmal versucht zu haben, eine Qualitätszeitung zu gründen – oder fünf Jahre lang wenig oder gar nicht gemalt zu haben. Denn in meiner Naivität war ich der Meinung, in dieser Zeit das Projekt zum Erfolg zu führen und anschließend operativ in andere Hände übergeben zu können, bei *trend* und *profil* hatte es ungefähr so lange gedauert. Ich war Mitte 40 und hatte ja noch viel Zeit. Überlagert waren all diese Überlegungen vom Umstand, dass ich damals gerade eine kreative Krise durchlebte und von Selbstzweifel geplagt war.

Also stürzte ich mich ins Abenteuer, wieder war »Learning by Doing« angesagt: Diesmal war ich Eigentümer, Geschäftsführer und Chefredakteur, ohne irgendeine Erfahrung in einer redaktionellen oder kommerziellen Führungsfunktion einer Tageszeitung zu haben. Ich spielte mit dem Gedanken, die Gründung des *Standard* zum Kunstwerk zu deklarieren. Tatsächlich war mein Zugang bei der Gründung sicher mehr künstlerisch als kommerziell. Ich ließ von der Idee ab, da ich dieses ohnehin sehr fragile Abenteuer nicht mit einer Diskussion über meine persönliche Befindlichkeit belasten wollte. Aus den fünf Jahren wurden 20, dank eines Partners, der nach mehreren Management-Wechseln die Lust an diesem Projekt verlor, dank einer neu entstandenen gewaltigen Marktkonzentration im Konkurrenzumfeld, dank des Chefs meiner Hausbank, der mir die Zeitung aus der Hand nehmen wollte, sobald der Erfolg erkennbar war und dank einiger Rezessionen.

So musste ich die Rückkehr zur Malerei immer wieder verschieben, aber paradoxerweise half mir dieser frustrierte Wunsch bei der Durchsetzung des *Standard:* In meinen zahlreichen Auseinandersetzungen mit übermächtigen Partnern und Gegnern war ich sicher sturer, als es ein professioneller Verleger gewesen wäre. Denn eine Niederlage bei diesen Pokerrunden wäre für mich zwar traurig, aber keine existenzielle Katastrophe gewesen. Ich hätte einfach wieder malen können, müssen, dürfen. Nur das Gefühl der Verantwortung für einige hundert Mitarbeiter ließ mich den Bogen nicht überspannen.

Meine Hoffnung, trotz Zeitung in der Freizeit weiterzumalen, erwies sich als einer meiner vielen Irrtümer. Ich probierte es anfangs, aber bald überwog die Frustration, wenn ich bei der Beschäftigung mit einem malerischen Konzept nicht am nächsten Tag weitermachen konnte, sondern längere Pausen einlegen musste. Da war es einfacher, gar nicht zu malen. Ich hörte sogar mit Galeriebesuchen auf, weil mich die Konfrontation mit zeitgenössischer Kunst zu sehr daran erinnerte, dass ich mich aus dem Spiel genommen hatte. Stattdessen beschäftigte ich mich mehr mit den Klassikern der Malerei.

Bei der 20-Jahres-Feier des *Standard* teilte ich den Mitarbeitern schließlich mit, dass ich die operative Tätigkeit übergeben werde, um wieder zu malen. Bald stand ich aufgeregt im Atelier, immerhin war ich Mitte 60, hatte 20 Jahre lang nicht gemalt und wusste nicht, was mich erwartete. Umso größer war die Überraschung, es dauerte nur kurze Zeit, bis ich daran anknüpfen konnte, wo ich seinerzeit aufgehört hatte. Lediglich die Sujets waren anders, nämlich gegenstandslos.

Bei aller neu entfachten Euphorie – ich hatte nicht vor, meine Bilder je wieder öffentlich zu zeigen. Ich war der festen Überzeugung, dass dieser Zug abgefahren war, da ich in einer anderen Schublade steckte: In meiner Biografie dominierte mittlerweile der Zeitungsmensch so eindeutig, dass kaum ein Betrachter die Bilder unbefangen würdigen würde. Es war für mich befriedigend genug, die Bilder zu malen und sie allenfalls Freunden zu zeigen. Als ich auf die wiederkehrende Frage nach einer Ausstellung sagte, dass ich keine beabsichtige, hörte ich sinngemäß immer öfter, ich möge nicht so feige sein und mich stellen.

Voilà.

PS: Ich habe mir fest vorgenommen, keine Pläne mehr zu schmieden oder gar zu verkünden.

PPS: Bei einer meiner früheren Ausstellungen in Wien mokierte sich ein Kunstkritiker einer Zeitung über die Tatsache, dass der damalige Direktor des Museums Moderner Kunst Dieter Ronte ein Bild angekauft und einen lobenden Katalogtext verfasst hat, dies sei »der weit spannendste Aspekt der Bronner-Ausstellung«. Was immer damit unterstellt werden sollte, es hat mich daran erinnert, dass wir im Land der von Arthur Schnitzler diagnostizierten »selbstlosen Gemeinheit« leben. Umso mehr danke ich Ingried Brugger und Florian Steininger für ihren Mut und ihre Unbefangenheit, sich mit meinen Bildern auseinanderzusetzen.

PPPS: Einer der Freunde Salomon Gessners war der ehemalige Mönch Franz Xaver Bronner, ein Notensetzer, Mathematikprofessor und bekannter Dichter, zum Beispiel von Idyllen, die Gessner wiederum illustrierte und auch verlegte. Bronner übernahm später auch die Leitung der *Zürcher Zeitung.* Offensichtlich war damals das Schubladendenken weniger ausgeprägt als heute.

## Oscar Bronner: Maler

Florian Steininger

Oscar Bronner verbindet in seiner Malerei Gegenständlichkeit mit freimalerischer Artikulation. Seit den 1970er Jahren entwickelt der Künstler das Bildmotiv aus der Farbe heraus, ob Blumen, Landschaft, Figur oder abstrakte Formen. Entscheidend ist das Prozesshafte, das über dem Motivisch-Inhaltlichen steht. Der Künstler begreift die Leinwand als Farbpalette, aus deren koloristischen Grundsubstanzen das Bild generiert wird. Zu Beginn noch mit dem Pinsel arbeitend, gestaltet Bronner seit Anfang der 1980er Jahre seine Leinwände mit den Fingern und platziert dabei den Bildträger für den Malvorgang auf dem Tisch. Bronners Gemälde zeugen von einem starken Bekenntnis zu den elementaren Kriterien von Malerei.

## Ermalte Eisblumen

Zwischen 1979 und 1981 entsteht der umfangreiche Werkkorpus der Blumen-Bilder, wobei das Sujet lediglich als bloßes Resultat des Malaktes zu sehen ist (S. 19, 20). Figur und Grund changieren, wechseln ständig die Ebenen. Es zeigt sich ein permanentes Vibrieren zwischen konkreter Form und freiem gestischen Index auf der Bildfläche. Man gewinnt den Eindruck, das Bild könnte sich wieder verändern, sich selbst weiter »ermalen« oder aber sich »vermalen«. Konstruktion und Destruktion liegen nah beieinander. Das Gemälde als labiles, offenes System. Erinnert sei hierbei an Gerhard Richters radikale *Vermalungen* aus den frühen 1970er Jahren – als lakonisch-destruktive Antwort auf das durch »Schöpferkraft« gestaltete Bild im Abstrakten Expressionismus. Ständig werden die frisch gezogenen Spuren neu überlagert und ausgelöscht, »vermalt«. Bronner stellt die Geste konstruktiv in den Dienst des floralen Wachstums, sie bleibt aber als reine Spur, als vitale Künstlerfährte ebenso sichtbar; so, als würde man ihm über die Schulter blicken, wie er gerade die Farbe auf der auf dem Boden liegenden Leinwand verstreicht, verschmiert, malt. Bronner verzichtet auf eine perspektivisch räumliche Übersetzung der Blumen zugunsten des Primats der Fläche. Es ist kein Blumenbeet im Garten, sondern erinnert eher an Eisblumenstrukturen auf einer Fensterscheibe, die durch die Sonnenstrahlen Lebendigkeit,

Volumen und Farbe erhalten. Das Bild wandelt sich vom ursprünglich fiktiven Guckkasten mit zentralperspektivischer Abbildung der Realität zu einer Art Fensterscheibe, die einen Moment von Wirklichkeit, der aber kein bleibender, statischer ist, auf ihre Fläche bannt: materiell in Form der Eiskristalle, optisch als transparente Projektionsfläche des Glases.

Bronners »Glasflächen« sind stets gesättigt von malerischer Dichte; Grau- und Braunfarben absorbieren das Licht. Vor allem die ersten Werkbeispiele aus der Blumen-Serie sind von erdiger Farbgebung gestaltet (Abb. 1), die Arbeiten von 1981 hingegen sind deutlich strahlender und blitzender. Die ursprünglich eingesetzten drei Grundfarben kommen nur mehr punktuell zum Vorschein, werden im Großen und Ganzen von Braun und Grau, die aus ihrer Vermischung entstehen, ausgelöscht. In diesem Zusammenhang zeigen sich verwandte Züge zu Kurt Kocherscheidts erdig diffuser Malerei (Abb. 2). Bronner hatte auch Kontakt zum ehemaligen Mitglied der »Wirklichkeiten«. Breite, massive Pinselstriche überlagern die Leinwand, ja, sedimentieren sich aufgrund ihrer Pastosität. Bronners Spuren, mit dem Pinsel gezogen, haben zwar ebenfalls eine markante Präsenz als breite Markierung, sind aber weniger pastos. Auch bei Kocherscheidt gilt die Dominanz der Malerei als Malerei, gefasst in gegenständliche Formen, ohne darstellend zu sein. Über Kurt Moldovan, der sein informeller Lehrer war, lernte Oscar Bronner Kocherscheidt kennen. Ihnen gemein ist jener ernsthafte, elementare Zugang zur Malerei, der sich eben in den schrofferen, meist verschlossenen und opaken Bildwelten niederschlägt.

## Bronner als Bildhauer

Erwähnenswert ist auch Bronners kurzzeitiges künstlerisches Kapitel als Bildhauer. Er begann mit 31 Jahren bei Fritz Wotruba an der Akademie der Bildenden Künste als »außerordentlicher Schüler« zu studieren, was hieß, dass Bronner zu Hause arbeitete und seine Ergebnisse dem Professor zeigte. Eine abstrakte Skulptur aus den 1970er Jahren ist ein repräsentatives Beispiel dafür (Abb. 3). Wie auch in seinen Gemälden ist eine Bipolarität zu erkennen: zwischen dem Organisch-Gegenständlichen und dem Abstrakten. In der Skulptur kommt der Gegensatz von Konstruktiv-Geometrischem und Offenem-Weichen hinzu, die einander in ihren verschlingenden Drehbewegungen behindern, um eine harmonische Einheit zu erlangen. Diese Verschlingungsprozesse thematisiert Bronner auch wieder in den Gemälden ab 2011. Wie bei vielen in der Wotruba-Klasse (Joannis Avramidis, Josef Pillhofer, Herbert Albrecht und anderen) spielt die aufrecht strukturierte, in sich geschlossene Skulptur eine elementare Rolle. Figurative Ausformungen werden zugunsten objektiver abstrakter Volumina deutlich reduziert.

## Landschaftliche Fingermalereien

Auf die Blumen-Bilder folgen 1983 großformatige Landschaften, die nun mittels reiner Fingermalerei entstanden sind. Dadurch intensiviert Bronner den direkten Kontakt zwischen ausführender Hand und Bildträger, ohne ein Malinstrument wie zuvor Pinsel zwischengeschaltet zu haben. Im Unterschied etwa zu Arnulf Rainer, der die Fingermalerei als *expression pure* radikal in den 1970er und 1980er Jahren eingesetzt hat (so vehement, dass sogar die Fingerkuppen bluteten) verwendet Bronner die Finger als Malinstrument ein, um eine Landschaftsimpression zu schaffen: Wälder, Felder, ein exponierter Baum im Vordergrund, dahinter ein See, ein schemenhafter Horizont, die »ermalt« werden (S. 23).

Wenn auch der Verdacht einer impressionistischen Anmutung aufkommen sollte, so unterscheidet sich der Ansatz der Impressionisten grundlegend. Monet destillierte den Eindruck der gesehenen Natur zu einer bestimmten Zeit und Temperatur in Farbflecken, in seinem Spätwerk sogar im hohen Abstraktionsgrad, sodass nur mehr diffus Differenzen zwischen Figur und Grund wahrgenommen werden können. Das Bild mutiert zu einem flächigen Farbfeld. Bei Bronner ist jedoch ein malerisches Gefüge vorherrschend, das Landschaft hervorbringt: Zuerst kommt die Malerei, dann das Motiv. Dieter Ronte bemerkt dazu: »Es geht um die Schöpfung der Malerei, nicht um die Schöpfung Landschaft.«[1]

Einen radikal-destruktiven Zugang zu Malerei und Landschaft hatte Gerhard Richter in seinen *Parkstücken* von 1971 (Abb. 4). Wie auch in den abstrakten *Vermalungen* ist die Geste zersetzend und nicht konstruktiv. Richter legt in den *Parkstücken* nach fotografischer Vorlage ein durchwegs realistisches Landschaftsbild an, zerstört im zweiten Arbeitsschritt jedoch die Illusion durch grobe Farbschlieren. Erwähnt seien in diesem Kontext auch Richard Gerstls Landschaftsbilder von 1908 (Abb. 5), deren Formen durch breite Pinsel- und Fingerspuren expressiv verwildert werden. Prozess, Ausdruck, direkter Kontakt mit dem Malgrund und pure malerische Materialität zerstören bei all diesen Beispielen den Charakter des Bildes als Fenster der abgebildeten Natur.

## Neubeginn der Malerei

Nach einer figurativen Phase der Malerei beendete Oscar Bronner berufsbedingt – er gründete 1988 den *Standard* – für längere Zeit seine künstlerische Tätigkeit. Ende 2009 hat Bronner jedoch die Malerei wieder aufgenommen und intensiv betrieben. Während die früheren Blumen-Bilder auf dem Boden liegend entstanden sind, werden die Werke seit den landschaftlichen Fingermalereien von 1983 bis zu den aktuellen Arbeiten ausschließlich auf dem Tisch gemalt. Dadurch ist eine bessere Reichweite beim Malen gewährleistet. Zuerst ist die zu bemalende Leinwand – Bronner verwendet ausschließlich aus den USA importierten Cotton Duck – als horizontale Arbeitsfläche zu verstehen, die der Künstler von allen vier Seiten behandelt, ein Feld mit angereicherten Malspuren. Dennoch impliziert Bronner bereits die vertikale Bildstruktur, indem er etwa in einer der ersten Serien stelenförmige Gebilde herausarbeitet (S. 24, 25). Dynamisch, wie Windhosen, schrauben sich die malerischen Stelen empor. Außerdem überprüft der Künstler das Werk nach seiner »Bildwürdigkeit« durch seine Betrachtung an der Wand als Gegenüber. Wie deutlich ist Raum spürbar, wie homogen das Figur-Grund-Verhältnis, wie überzeugend die Komposition? Mal ist die Farbe pastos, mal dünnflüssig in ihrer Konsistenz. In umfangreich angelegten Bildzyklen moduliert Bronner ein bestimmtes formales Thema in unterschiedlichen Farbkonstellationen und

Bildgrößen. In ihnen ist meist die Basis für die darauffolgende Serie angelegt, wodurch sich ein durchwegs harmonisches Ineinander der Werkblöcke ergibt. So schiebt sich im folgenden Kapitel ein Quadrat ins Bild, das die langgezogenen Figuren unterlegt. Eine Spannungsverhältnis zwischen Organisch-Offenem und Geometrisch-Geschlossenem tritt ein (S. 36, 27). Das Quadrat wird verkürzt, verzerrt in den Raum gestellt, seine kantig lineare Erscheinung löst sich im Meer der freien Malspuren atmosphärisch auf (S. 28, 29). Die Farbfleckentextur erweckt den Eindruck, als hätte der Künstler aktiv mit der Farbe gespritzt und geschüttet, jedoch sind es lediglich die Spuren des intensiven Verreibens mit den Fingern. Geradezu skulptural verbinden sich bauschige Formationen miteinander, führen einen intimen Tanz im monochromen Bildraum auf (S. 32, 33). »Räumlichkeit« versteht Bronner hierbei als innerbildliche und nicht von der Natur abgeleitete Dreidimensionalität. Farbe generiert Raum. Das Gemälde zeigt sich als abstraktes Medium. Runde Keilformen penetrieren buschige Ringe, weiße, an Watte erinnernde Formen verbinden sich zur harmonischen Einheit (S. 36, 37). In einer Werkserie ist, wie in den Landschaftsbildern der frühen 1980er Jahre, eine horizontale Zone eingeschoben; auf ihr überlagern sich die abstrakten Volumina mit stachelig samtener Oberfläche (S. 41). In den jüngsten Beispielen mutieren die informellen Gebilde zu fingerartigen Strukturen, die eine dunkle Form umklammern. Stets handelt es sich um autonome malerische Resultate mit zeichenhafter Aussage. Es geht nicht um das Motiv der Hand selbst, oder das eines inniglichen Paars, sondern um deren mentalen Zustand – etwa den des Verschlungen-Seins – in Malerei verschlüsselt.

Oscar Bronner ist ein gutes Beispiel dafür, was es heißt, in einer Sache konsequent zu sein, egal, in welcher Schublade gerade operiert wird, ob als Zeitungsmacher oder als Maler. Entscheidend ist ein ausschließliches Einlassen auf das jeweilige Medium, mit ernsthafter Verantwortung ohne Koketterie und Gesellschaftsgläubigkeit.

1    Dieter Ronte, in: *Oscar Bronner. Ausgangspunkt Landschaft*, Ausst.-Kat. Österreichische Postsparkasse, Wien 1985, o. S.

1

2

3

5

1
*21.6.1979*
Privatbesitz

2
Kurt Kocherscheidt
*Kleiner Leib IV*, 1982
Morat-Institut für Kunst und Kunstwissenschaft, Freiburg i. Br.

3
*Geschwungene Säule*, 1974
Privatbesitz

4
Gerhard Richter
*Parkstück*, 1971
MuMoK, Museum Moderner Kunst
Stiftung Ludwig Wien
Leihgabe Sammlung Ludwig, Aachen

5
Richard Gesrtl
*Traunsee mit Schlafender Griechin*, 1908
Leopold Museum, Wien

# AUSGEWÄHLTE WERKE

1980 – 2013

*20.11.1980*

Acryl auf Leinwand, 122 x 122 cm

*8.4.1981*

Acryl auf Leinwand, 152,5 x 183 cm

*17.9.1983*

Acryl auf Leinwand, 152 x 203 cm

*29.1.2010*

Acryl auf Leinwand, 100 x 140 cm

*20.2.2010*

Acryl auf Leinwand, 100 x 140 cm

*27.4.2010*

Acryl auf Leinwand, 100 x 100 cm

*19.6.2010*

Acryl auf Leinwand, 120 x 120 cm

*27.11.2010*

Acryl auf Leinwand, 100 x 100 cm

*8.12.2010*

Acryl auf Leinwand, 140 x 100 cm

*19.3.2011*

Acryl auf Leinwand, 120 x 170 cm

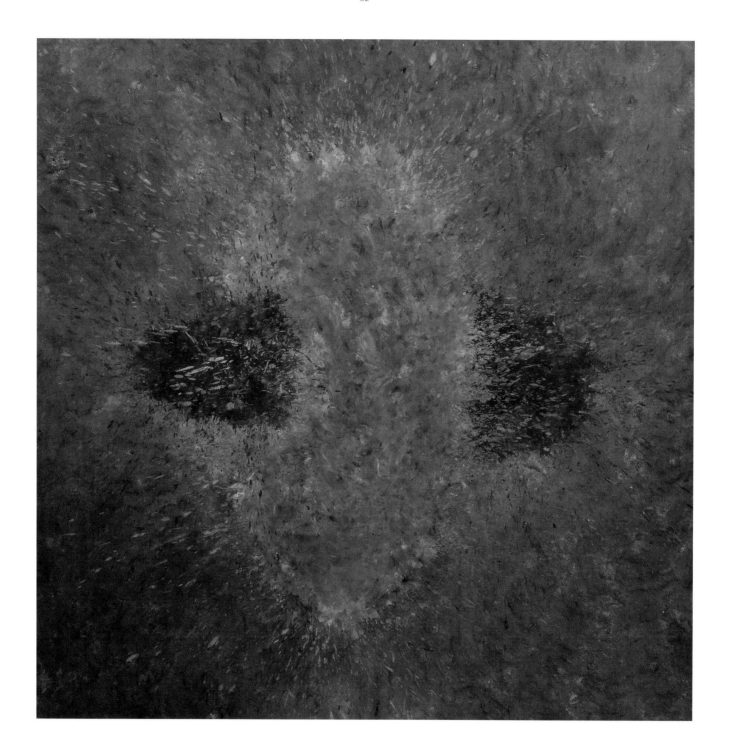

*20.9.2011*

Acryl auf Leinwand, 120 x 120 cm

*8.10.2011*

Acryl auf Leinwand, 100 x 140 cm

*10.12.2011*

Acryl auf Leinwand, 120 x 150 cm

*12.2.2012*

Acryl auf Leinwand, 100 x 140 cm

*18.2.2012*

Acryl auf Leinwand, 120 x 150 cm

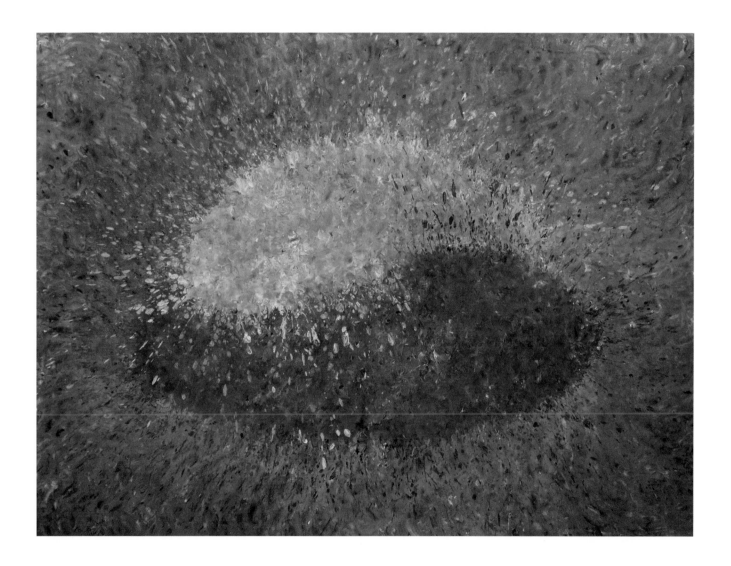

*1.3.2012*

Acryl auf Leinwand, 90 x 120 cm

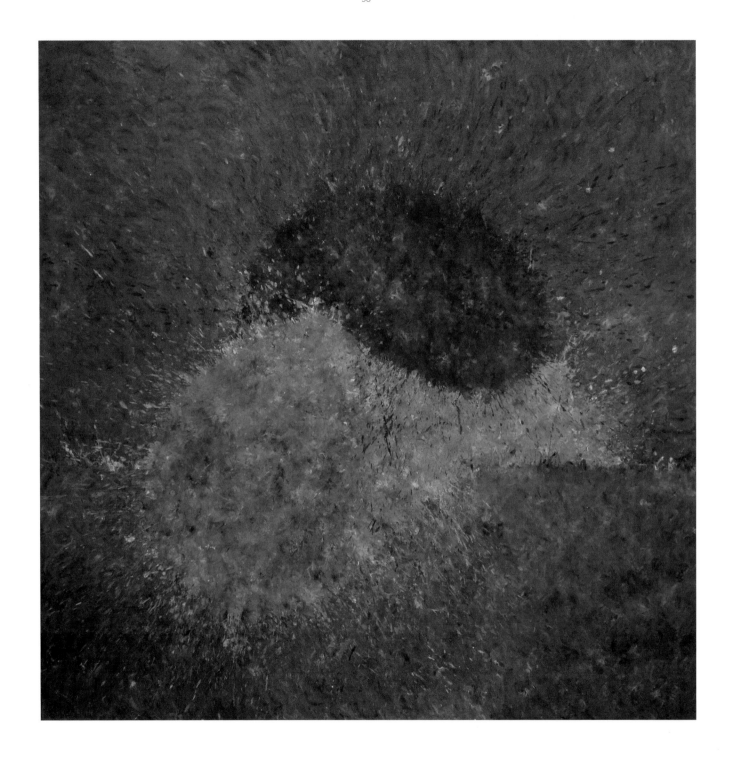

*13.3.2012*

Acryl auf Leinwand, 120 x 120 cm

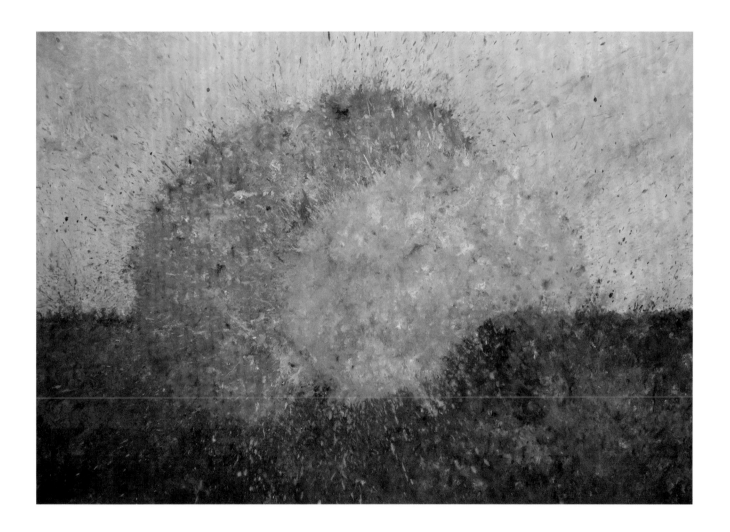

*27.3.2012*

Acryl auf Leinwand, 100 x 140 cm

*28.4.2012*

Acryl auf Leinwand, 120 x 170 cm

*24.7.2012*

Acryl auf Leinwand, 120 x 120 cm

*23.8.2012*

Acryl auf Leinwand, 120 x 120 cm

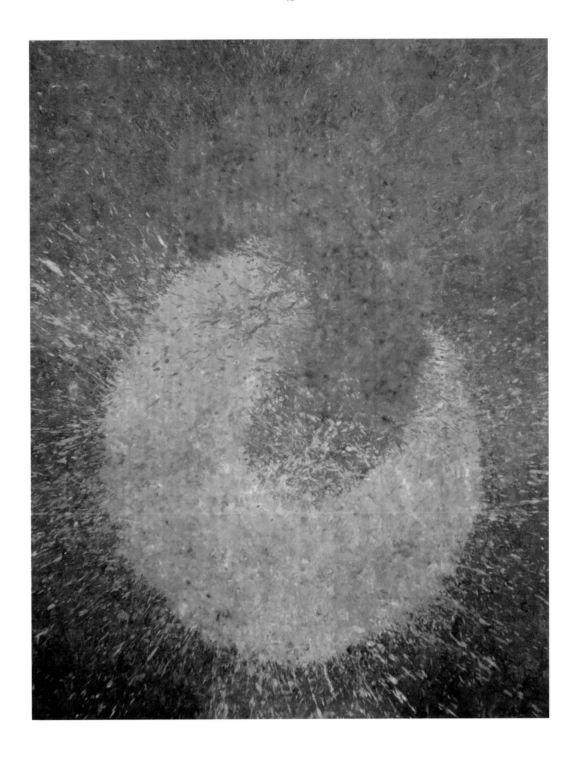

*30.9.2012*

Acryl auf Leinwand, 150 x 120 cm

*10.11.2012*

Acryl auf Leinwand, 170 x 120 cm

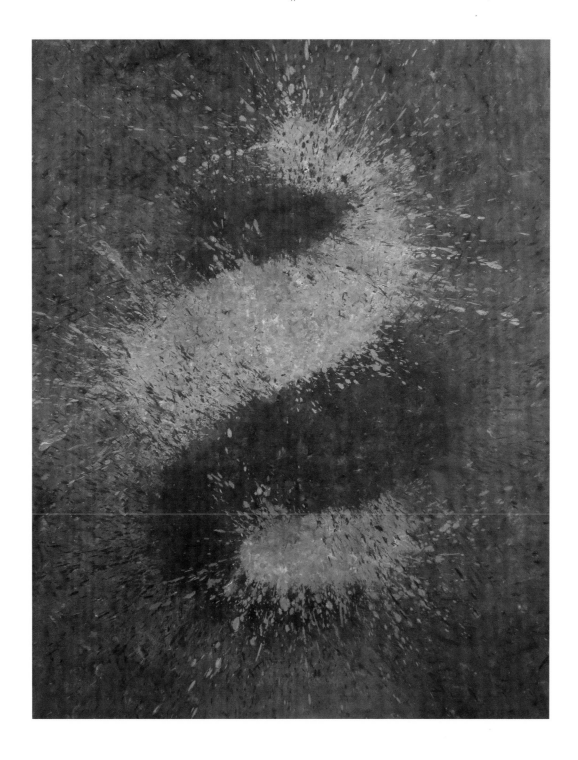

*3.1.2013*

Acryl auf Leinwand, 150 x 120 cm

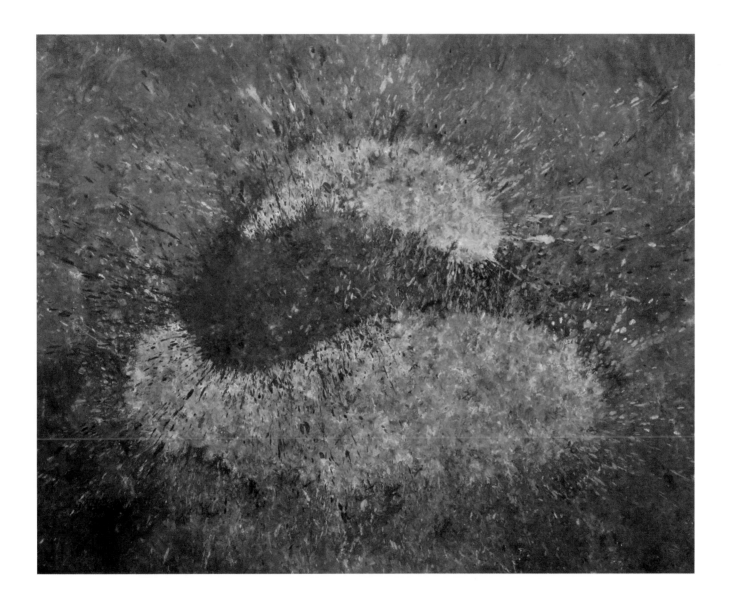

*26.2.2013*

Acryl auf Leinwand, 120 x 150 cm

*19.3.2013*

Acryl auf Leinwand, 140 x 100 cm

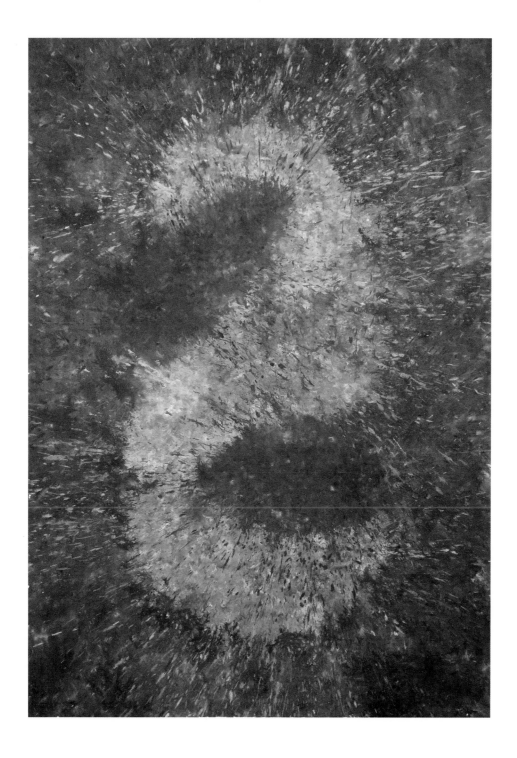

*6.4.2013*

Acryl auf Leinwand, 140 x 100 cm

*27.4.2013*

Acryl auf Leinwand, 170 x 120 cm

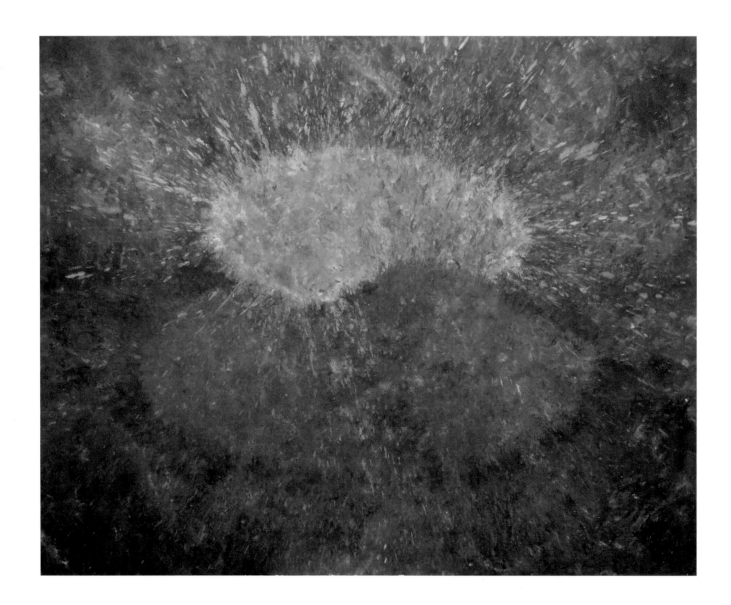

*1.5.2013*

Acryl auf Leinwand, 120 x 150 cm

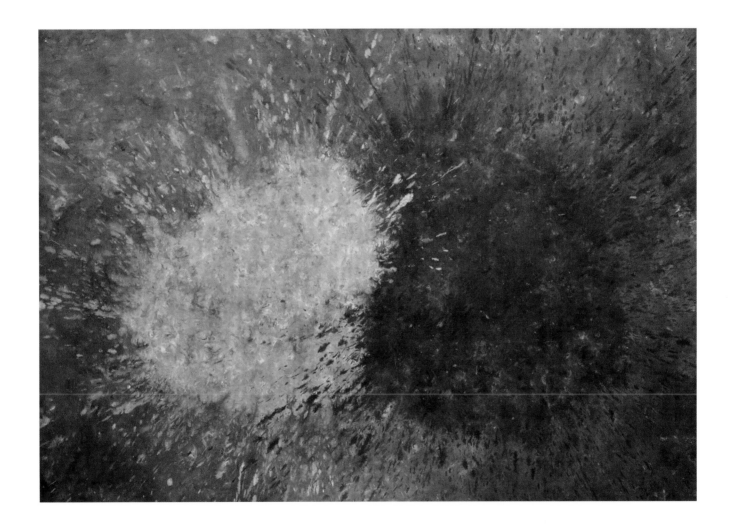

*10.5.2013*

Acryl auf Leinwand, 100 x 140 cm

*14.5.2013*

Acryl auf Leinwand, 150 x 120 cm

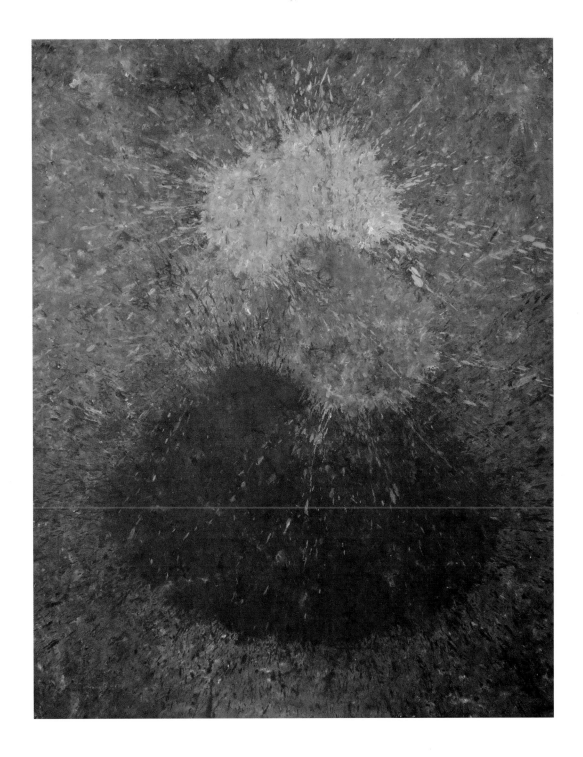

*2.7.2013*

Acryl auf Leinwand, 150 x 120 cm

*23.7.2013*

Acryl auf Leinwand, 120 x 170 cm

*17.8.2013*

Acryl auf Leinwand, 140 x 100 cm

*22.8.2013*

Acryl auf Leinwand, 150 x 120 cm

*25.8.2013*

Acryl auf Leinwand, 120 x 120 cm

## Biografie

1943    geboren in Haifa, Israel
1948    Übersiedlung nach Wien
1974    Übersiedlung nach New York
1987    Übersiedlung nach Wien
        lebt in Wien

## Einzelausstellungen

1980    Galerie Heike Curtze, Düsseldorf
        Galerie Heike Curtze, Wien
1981    Österreichisches Kulturinstitut, New York
1982    Galerie Heike Curtze, Düsseldorf
1984    A.M. Sachs Gallery, New York
1985    Österreichische Postsparkasse, Wien
1986    Galerie Nikki Diana Marquardt, Paris
1988    Galerie Würthle, Wien
2013/14 tresor, Bank Austria Kunstforum, Wien

## Ausstellungsbeteiligungen (Auswahl)

1981    Neue Darmstädter Sezession
1983    Edward Thorp Gallery, New York
        Studio Marconi, Mailand
1984    Columbus Museum of Art, Ohio
1985    Museum Moderner Kunst Stiftung Ludwig, Wien
        The Art Society of the IMF, Washington, D.C.
        A.E.I.O.U., *Mythos Gegenwart:*
        *Der österreichische Beitrag*, Stein an der Donau

Diese Publikation erscheint anlässlich der Ausstellung

# Oscar
# BRONNER

23. Oktober 2013 bis 12. Januar 2014
tresor, Bank Austria Kunstforum, Wien

Bank Austria Kunstforum
Freyung 8, 1010 Wien
www.bankaustria-kunstforum.at

## Katalog

**HERAUSGEBER**
Ingried Brugger, Florian Steininger

**KONZEPT**
Florian Steininger

**REDAKTION UND LEKTORAT**
Lisa Ortner-Kreil, Florian Steininger,
Barbara Gilly

**VERLAGSLEKTORAT**
Petra Joswig

**GESTALTUNG**
Kehrer Design (Hannah Feldmeier)

**BILDBEARBEITUNG**
Kehrer Design (René Henoch)

**FOTONACHWEIS**
© Foto: Oscar Bronner, Wien
© Porträtfoto: Andrea Bronner

Die Vorlagen zu den übrigen Farbtafeln
wurden freundlicherweise von den ausge-
wiesenen Sammlungen und Privatbesitzern
zur Verfügung gestellt beziehungsweise
stammen aus den Archiven des Künstlers,
der Autoren und Veranstalter.

**UMSCHLAGABBILDUNG**
25.8.2013 (Cover)
20.9.2011 (Rückcover)

## Ausstellung

**KURATOR**
Florian Steininger

**AUSSTELLUNGSKOORDINATION UND
-ORGANISATION**
Lisa Ortner-Kreil, Barbara Gilly

**ÖFFENTLICHKEITSARBEIT**
Wolfgang Lamprecht, Alexander
Khaelss-Khaelssberg, Stefanie Kroll,
Natalie Würnitzer

**AUSSTELLUNGSAUFBAU**
Remo Cocco, Roman Schumacher & Team

**KUNSTVERMITTLUNG**
Andrea Zsutty & Team

Printed in Germany

ISBN 978-3-86828-425-6

 Kehrer Heidelberg Berlin
www.kehrerverlag.com